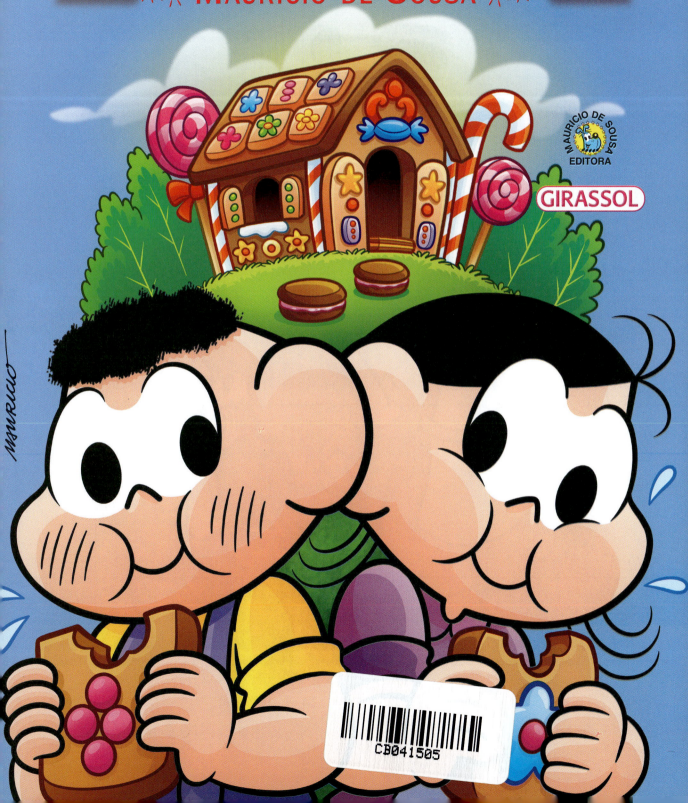

ERA UMA VEZ UMA FAMÍLIA MUITO POBRE,
QUE NEM TINHA MAIS O QUE COMER.
A MADRASTA, ENTÃO, DISSE AO MARIDO PARA
SE LIVRAR DAS CRIANÇAS, DEIXANDO-AS
PERDIDAS NA FLORESTA.

JOÃO E MARIA OUVIRAM TUDO E, NO DIA SEGUINTE, ENQUANTO CAMINHAVAM PARA A FLORESTA, O MENINO FOI JOGANDO PEDAÇOS DE PÃO PARA MARCAR O CAMINHO.

QUANDO CHEGARAM NUMA CLAREIRA,
O PAI FEZ UMA FOGUEIRA E DISSE PARA
AS CRIANÇAS DORMIREM, ENQUANTO ELE IA
COLHER UMAS FRUTAS COM A MULHER.

JOÃO E MARIA FICARAM SENTADOS JUNTO
AO FOGO POR MUITO TEMPO, ATÉ QUE
ADORMECERAM. QUANDO ACORDARAM,
JÁ ERA TARDE DA NOITE E SEUS PAIS
HAVIAM SUMIDO.

JOÃO ESTAVA TRANQUILO, POIS HAVIA
MARCADO O CAMINHO DE VOLTA COM
AS MIGALHAS DE PÃO. SÓ QUE, QUANDO
AMANHECEU, VIU QUE OS PÁSSAROS
DA FLORESTA TINHAM COMIDO TODAS
AS MIGALHAS.

PERDIDOS, JOÃO E MARIA CAMINHARAM POR MUITO TEMPO, ATÉ QUE VIRAM UM LINDO PÁSSARO. AS CRIANÇAS O ACOMPANHARAM, ENCANTADAS, ATÉ QUE ELE POUSOU NO TELHADO DE UMA CASINHA.

JOÃO E MARIA CHEGARAM PERTO E NOTARAM QUE A CASINHA ERA FEITA DE PÃO DOCE, COBERTA DE BOLO E COM JANELAS DE AÇÚCAR. COM MUITA FOME, COMEÇARAM A COMER AS PAREDES DA CASINHA.

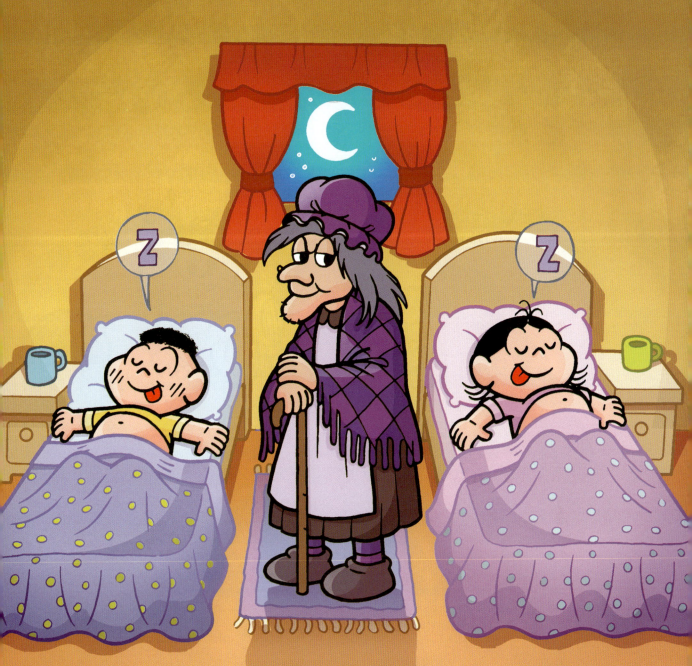

DE REPENTE, A PORTA SE ABRIU E APARECEU
UMA MULHER MUITO VELHA, QUE TOMOU OS
DOIS PELAS MÃOS E OS LEVOU PARA DENTRO.
SERVIU COMIDA ÀS CRIANÇAS E ARRUMOU
BOAS CAMAS PARA ELAS.

NA MANHÃ SEGUINTE, A VELHA, QUE ERA
UMA BRUXA, TRANCOU JOÃO NUMA JAULA
E MANDOU MARIA PREPARAR COMIDA PARA
ELE. A VELHA QUERIA ENGORDAR JOÃO PARA
PODER COMÊ-LO.

A BRUXA PEDIA PARA JOÃO MOSTRAR
O SEU DEDO. ASSIM SABERIA SE O MENINO
ESTAVA GORDINHO. MAS A VELHA NÃO
ENXERGAVA BEM E JOÃO, ESPERTO, MOSTRAVA
UM OSSINHO DE FRANGO.

UM MÊS DEPOIS, A BRUXA VIU QUE JOÃO CONTINUAVA MAGRO E PERDEU A PACIÊNCIA. MANDOU MARIA ACENDER O FORNO, MAS A MENINA PEDIU PARA A VELHA MOSTRAR COMO SE FAZIA.

QUANDO A BRUXA COLOCOU A CABEÇA
NO FORNO, MARIA A EMPURROU PARA
DENTRO E FECHOU A PORTA. EM SEGUIDA,
FOI SOLTAR O SEU IRMÃOZINHO.

AS CRIANÇAS ENTRARAM NA CASA DA
BRUXA PARA PEGAR ALGUMAS GULOSEIMAS
E VIRAM VÁRIAS CAIXINHAS CHEIAS
DE PÉROLAS E PEDRAS PRECIOSAS. PEGARAM
TUDO O QUE PUDERAM.

EM SEGUIDA, SAÍRAM RAPIDINHO DA CASA
DA BRUXA E, DEPOIS DE CAMINHAR
POR ALGUM TEMPO, FINALMENTE AVISTARAM
A CASA DE SEU PAI. ENTRARAM CORRENDO
E O ABRAÇARAM.

O PAI ESTAVA ARREPENDIDO E, QUANDO
JOÃO E MARIA SOUBERAM QUE A MADRASTA
HAVIA CANSADO DAQUELA VIDA E IDO
EMBORA, TIRARAM AS PEDRAS PRECIOSAS
E AS PÉROLAS DOS BOLSOS. ACABARAM-SE
OS DIAS DE POBREZA E TODOS VIVERAM
TEMPOS MUITO FELIZES.